Tajines, cousc et autres douceurs du Maroc

maraboutchef

Sommaire

La cuisine marocaine

La cuisine marocaine rencontre un succès grandissant, avec ses mélanges d'épices savoureux et ses mariages inhabituels, ses saveurs exotiques et les couleurs chaudes et lumineuses que lui apportent certains ingrédients. Il est en outre assez difficile d'imaginer une cuisine s'appuyant sur une plus large palette de senteurs.

Comme la plupart des pays du pourtour méditerranéen, la cuisine du Maroc mise sur l'huile d'olive, les légumes frais, les herbes aromatiques… Mais elle fait un usage plus généreux des épices, que viennent renforcer la menthe, le persil ou la coriandre, la harissa et les citrons confits. Dans les souks, on peut admirer de magnifiques dômes ou pyramides de cumin, coriandre, safran, gingembre, cannelle ou paprika. Ces épices sont le plus souvent mélangées pour parfumer viandes, poissons ou légumes. Pour retrouver un parfum authentique, préférez les épices que vous achetez en vrac dans une épicerie fine à celles que vous trouvez sur les rayonnages des grandes surfaces. Évitez d'en acheter trop d'un coup car leur goût s'altère au bout de quelques mois. Et gardez-les dans des pots en verre : c'est d'un joli effet sur un rayonnage et cela préserve mieux les saveurs.

Le couscous est une des bases de la cuisine du Maroc. Il est servi à presque tous les repas, avec des légumes le plus souvent, mais aussi avec de la viande ou du poisson pour les repas plus festifs. Les légumineuses, en particulier les pois chiches, sont aussi très courantes. Si vous avez du temps, faites-les tremper à l'avance ; sinon, utilisez des conserves que vous ajoutez presque à la fin pour les réchauffer.

Une des particularités de la cuisine marocaine repose sur les mélanges de sucré et de salé. Le tajine en est une des plus belles illustrations. On mariera des dattes et du miel avec du poulet et des légumes, de l'agneau avec des citrons confits et des abricots. On le présente généralement dans un plat en terre qui a donné son nom à cette recette, mais on peut tout à fait le servir dans sa cocotte de cuisson.

Nous avons choisi, pour cet ouvrage dédié à la cuisine du Maroc, de faire aussi de courtes incursions dans les pays voisins en proposant quelques recettes d'Algérie et de Tunisie. Elles privilégient les ingrédients typiques de ces régions et les modes de préparation traditionnels. Pour en découvrir toute la richesse, soyez exigeant sur la qualité des épices ou aromates que vous utilisez. Ils vous le rendront au centuple…

Entrées et salades

Soupe de fèves à l'agneau

Pour 4 personnes
Trempage 12 heures • Préparation 15 minutes • Cuisson 2 h 10

200 g de fèves sèches
2 c. à s. d'huile d'olive
3 souris d'agneau (750 g)
2 oignons jaunes moyens (300 g) hachés
1 gousse d'ail écrasée
2 carottes moyennes (240 g) détaillées en cubes
2 branches de céleri (200 g) détaillées en cubes
500 ml de bouillon de volaille
1 litre d'eau
400 g de tomates concassées en boîte
1 poignée d'aneth ciselé
2 c. à s. de jus de citron

1 Laissez gonfler les fèves toute la nuit dans un saladier d'eau froide.

2 Dans une cocotte, faites colorer les souris d'agneau dans l'huile chaude. Quand elles sont bien dorées, remplacez-les par l'oignon, l'ail, la carotte et le céleri. Remuez à feu vif jusqu'à ce que les légumes soient tendres.

3 Remettez les souris d'agneau dans la cocotte, ajoutez les fèves bien égouttées, le bouillon et l'eau, portez à ébullition. Couvrez et laissez mijoter 1 heure à feu doux, en écumant de temps à autre le bouillon.

4 Sortez la viande de la cocotte, laissez-la refroidir un peu pour pouvoir la manipuler sans vous brûler, retirez les os et défaites les morceaux en fines lanières. Remettez-la dans la cocotte avec les tomates non égouttées. Laissez mijoter encore 1 heure à couvert.

5 Incorporez l'aneth et le jus de citron juste avant de servir. Vous pouvez accompagner cette soupe de pain pita grillé.

Cigares au bœuf et aux figues

Pour 48 cigares
Préparation 30 minutes • Cuisson 30 minutes

20 g de beurre
1 oignon jaune moyen (150 g) grossièrement haché
1/2 c. à c. de cannelle moulue
2 gousses d'ail écrasées
250 g de viande de bœuf hachée
150 g de figues sèches détaillées en dés
1 c. à s. de ciboulette fraîche ciselée
8 feuilles de pâte à brick
de l'huile pour la poêle

1   Faites revenir dans le beurre l'oignon, la cannelle et l'ail. Quand l'oignon est tendre, ajoutez le bœuf et laissez-le brunir en remuant souvent. Incorporez les figues et la ciboulette puis laissez reposer 10 minutes.

2   Faites préchauffer le four à 200 °C ; huilez deux plaques de cuisson.

3   Badigeonnez d'huile une des feuilles de pâte et couvrez-la d'une seconde feuille. Coupez-les dans la longueur en trois lanières égales puis dans la largeur en huit bandes égales.

4   Disposez 1 quenelle de farce en bas d'une des bandes, à 1 cm du bord. Rabattez cette bordure sur la farce, repliez les côtés et roulez la pâte pour former un cigare. Faites ainsi 48 cigares et disposez-les sur les plaques de cuisson.

5   Huilez légèrement les cigares avant de les faire cuire 10 minutes. Servez sans attendre.

Pratique   La farce peut se préparer la veille. Couvrez-la pour la conserver au réfrigérateur.

Farcis à l'agneau et aux pignons

Pour 27 farcis
Préparation 35 minutes • Cuisson 25 minutes

2 c. à c. d'huile d'olive
1 petit oignon jaune (80 g) haché
2 gousses d'ail écrasées
2 c. à c. de cumin moulu
400 g de viande d'agneau hachée
1 tomate moyenne (150 g) concassée
2 c. à s. de persil plat frais ciselé
1 c. à s. de jus de citron
2 c. à s. de sumac
2 feuilles de pâte sablée
1 œuf légèrement battu
2 c. à s. de pignons
140 g de yaourt

1 Dans une petite poêle, faites revenir dans l'huile chaude l'oignon, l'ail
   et le cumin. Mélangez ensuite cette préparation avec la viande hachée,
   la tomate, la moitié du persil, le jus de citron et 1 cuillerée de sumac.

2 Préchauffez le four à 200 °C. Huilez deux plaques de cuisson.

3 Découpez chaque feuille de pâte en neuf carrés. Dorez à l'œuf battu
   deux bords opposés, posez au centre des carrés 1 cuillerée à soupe rase
   de farce et pincez les bords pour coller la pâte. Répartissez les pignons
   sur la farce.

4 Disposez les farcis sur les plaques, à 4 cm d'intervalle, et faites-les cuire
   20 minutes au four. La farce doit être bien cuite et la pâte légèrement
   dorée. Saupoudrez du reste de persil.

5 Mélangez dans un bol le yaourt et le reste du sumac. Servez avec les
   farcis chauds.

Caviar de haricots beurre

Pour 8 personnes
Préparation 8 minutes • Cuisson 8 minutes

1 gousse d'ail écrasée
1 poignée de persil plat frais
400 g de haricots beurre en boîte rincés et égouttés
1 c. à c. de cumin moulu
80 ml d'huile d'olive
6 petites poches de pain pita

1 Préchauffez le four à 200 °C.

2 Mixez l'ail, le persil, les haricots et le cumin. Sans cesser de mixer, versez l'huile en filet continu pour obtenir une sauce presque lisse.

3 Découpez les pians pita en triangles, étalez-les sur une plaque de cuisson, huilez-les légèrement et faites-les dorer quelques minutes au four pour qu'ils soient très croustillants.

4 Servez le caviar avec les triangles de pita.

Pratique Cette recette peut se préparer la veille. Conservez alors les triangles de pita dans un récipient hermétique.

Salade de betterave et orange

Pour 8 personnes
Préparation 10 minutes

800 g de mini-betteraves cuites
4 poignées de persil plat ciselé
1 orange (240 g) pelée et découpée en quartiers
2 c. à s. de vinaigre de vin rouge
2 c. à s. d'huile d'olive
sel, poivre

1 Pelez les betteraves. Mettez-les dans un saladier avec le persil et les quartiers d'orange.

2 Fouettez l'huile et le vinaigre. Salez et poivrez généreusement.

3 Juste avant de servir, versez cette sauce sur la salade et remuez délicatement.

Salade de betterave, fenouil et lentilles

Pour 6 personnes
Préparation 30 minutes • Cuisson 1 heure

3 betteraves moyennes (1 kg) nettoyées
1 c. à s. d'huile d'olive
1 bulbe de fenouil moyen (300 g)
400 g de lentilles brunes en boîte rincées et égouttées
100 g de feuilles de roquette
200 g de feta en tranches fines

Assaisonnement
125 ml d'huile d'olive
2 c. à s. de jus de citron
1/2 c. à c. de sucre en poudre
2 c. à c. de pluches de fenouil frais ciselées

1 Préchauffez le four à 180 °C.

2 Badigeonnez d'huile un grand plat à four, posez les betteraves dedans et faites-les rôtir 1 heure, jusqu'à ce qu'elles soient tendres. Laissez-les tiédir un peu pour les éplucher. Coupez-les en cubes.

3 Détaillez le fenouil en tranches fines après avoir enlevé les feuilles extérieures, plus épaisses.

4 Mélangez dans un bol tous les ingrédients de la vinaigrette.

5 Mettez dans un saladier le fenouil, les lentilles et la roquette, versez la moitié de la vinaigrette et remuez. Ajoutez les betteraves et mélangez encore. Garnissez de feta et nappez le dessus de la salade avec le reste de vinaigrette. Servez aussitôt.

Pratique Vous pouvez faire cuire les betteraves la veille et préparer la salade au dernier moment.

Salade de tomates, olives et radis

Pour 8 personnes
Préparation 15 minutes • Réfrigération 2 heures

180 g d'olives noires dénoyautées
200 g de tomates en grappe.
14 radis roses (210 g) détaillés en quartiers
200 g de petits champignons de Paris coupés en deux
2 poignées de persil plat frais ciselé

Assaisonnement
2 c. à c. de ras-el-hanout
1/2 c. à c. de coriandre moulue
1/2 c. à c. de paprika doux
2 c. à s. de vinaigre de vin rouge
80 ml d'huile d'olive

1 Commencez par préparer l'assaisonnement en mélangeant bien tous les ingrédients dans un récipient.

2 Mettez dans un saladier les olives, les tomates, les radis, les champignons et le persil. Versez l'assaisonnement et remuez délicatement. Couvrez et réfrigérez au moins 2 heures avant de servir.

Pratique Le ras-el-hanout est un mélange d'épices marocain. Les ingrédients peuvent varier d'une préparation à l'autre, avec une base de cannelle, piment, poivre, muscade et gingembre.